Avontuur voor peuter en kleuter

Selma Noort & Harmen van Straaten

Schaatsen met een stoel

AFGESCHREVEN

Zwijsen thuis

KOUD

Nikkie zit voor het raam en kijkt naar buiten. Het ziet er koud uit, buiten. En ze voelt ook dat het koud is. Ze voelt het door de ruit heen.

Aan de overkant van de straat loopt een man met zijn hond. Hij heeft de kraag van zijn jas omhoog staan en hij loopt voorovergebogen tegen de wind in. De hond tilt bibberend zijn poot op en plast tegen een boom. Dan kijkt hij smekend omhoog naar zijn baasje.

'Die hond wil weer naar binnen,' zegt Nikkie tegen mama. 'Hij vindt het veel te koud buiten om te wandelen.'

'Er staat ook wel een heel koude wind.' Mama komt naast Nikkie voor het raam staan. De man met de hond draait zich om en loopt terug.

'Die hond heeft heel kort haar,' zegt Nikkie. 'Honden met lange haren hebben het niet zo koud, hè?'

'Een dikke vacht is lekker warm,' zegt mama.

Nikkie denkt daarover na. 'Mensen hebben dikke winterkleren.'

Er rijdt een auto de straat in.
Het is de rode auto van Rajivs vader
en moeder. Rajivs moeder stapt uit
en Rajiv ook. Hij helpt zijn moeder
met het dragen van een paar bood-
schappentasjes.

'Hé, Rajiv!' schreeuwt Nikkie.
'Ik denk niet dat hij je kan horen,' zegt mama.
Misschien heeft Rajiv Nikkie toch gehoord. Of misschien niet. In ieder geval kijkt
hij om. Hij kan niet zwaaien naar Nikkie en mama omdat hij zijn handen vol tasjes
heeft. Daarom lacht hij alleen maar.
Nikkie lacht terug en ze zwaait. Ze kijkt hoe Rajiv en zijn moeder hun huis aan de
overkant van de straat binnengaan. Het licht in de gang gaat er aan. En dan in de
kamer. Ze ziet Rajiv met de tasjes naar de keuken lopen.
Nikkie draait zich om. 'Varkens hebben geen dikke vacht.'
'Die hebben spek,' zegt mama. 'Ze zijn vet. Zo krijgen ze het ook niet koud.' Ze
denkt even na. 'Enne ... beren en egels, die houden een winterslaap. Eerst eten ze
heel veel, dan kruipen ze weg op een lekker warm plekje en dan slapen ze de hele
winter.'
'Echt?' vraagt Nikkie.
'Ja, echt.'
'Mag ik dat ook?'
'Wat, de hele winter slapen?'
Nikkie knikt.
'En Kerstmis dan? En het vuurwerk als het
nieuwjaar wordt, en oliebollen eten?
En warme chocolademelk drinken in
de stad, en je nieuwe muts op en je
nieuwe sjaal om, en een sneeuwpop
maken?'
'O!' zegt Nikkie. 'Ik wil toch liever
iedere dag wakker worden.'

DE WINTERZON

Mama en papa gaan werken. Papa brengt Nikkie naar Rajiv. Daar mag ze een paar minuutjes spelen. En dan brengt Rajivs moeder Nikkie en Rajiv naar school.

'Hou je jas maar aan, Nikkie,' zegt Rajivs moeder als ze binnenkomt. 'We gaan toch zo weg.'

Papa praat even met Rajivs moeder. Nikkie loopt naar de kamer. Rajiv is nog aan het ontbijten. Hij eet pap.

'Is dat lekker?' vraagt Nikkie.

Rajiv knikt. Hij slokt zijn laatste hapjes naar binnen, hij klokt zijn kopje thee er- achteraan en staat op. 'Moet je zien,' zegt hij. En hij holt naar het raam.

Nikkie loopt achter hem aan. Maar Rajiv draait zich alweer om. 'Hier zie je het niet,' zegt hij. 'Maar in mijn kamer wel.'

Nu holt hij naar de gang. Holderdebolder de trap op. Nikkie klimt hem achterna. Rajiv staat bij zijn raam. 'Kijk!' zegt hij.

Nikkie komt naast hem staan. Nu ziet ze wat hij bedoelt. De lucht is rood. Vurig oranjerood. Met strepen donkerblauw erdoorheen.

'Mooi, hè?' zegt Rajiv.

'Hoe kan dat?' Nikkie drukt haar neus tegen het glas. Het raam voor haar ogen beslaat. Nu ziet ze het niet goed meer. Met haar hand veegt ze het raam schoon.

Rajivs moeder is boven gekomen. 'De lucht is in de winter zo mooi omdat je de zon ziet opkomen,' zegt ze.

'Waar dan?' vraagt Nikkie.

Achter die bomen,' zegt Rajivs moeder. Ze wijst.

Nikkie kijkt naar de kale, zwarte bomen voor de mooie lucht.

'De zon zie je nog niet, maar het licht van de zon is er al,' zegt Rajiv.

'Dat heb ik nog nooit gezien,' zegt Nikkie.

'In de zomer is de zon er al als je opstaat, hè mama?' Rajiv kijkt om naar zijn moe- der. Die knikt.

Ze kijken alle drie en ze zeggen even niets. En dan ineens ...

Daar komt een stukje van de zon te voorschijn, een rand, oranjerood.

'Is de zon van vuur?' vraagt Nikkie.

'Ja,' zeggen Rajivs moeder en Rajiv tegelijk.

'Dat kan ik zien,' zegt Nikkie.

IJs op de autoramen

'Ik breng jullie vandaag met de auto naar school, want ik ga meteen door, boodschappen doen,' zegt Rajivs moeder.

Rajiv en Nikkie hollen al over de stoep naar de rode auto.

'O!' Rajivs moeder zet haar boodschappentassen zomaar op de stoep. 'Ik moet schrappen.'

Nikkie en Rajiv kijken elkaar aan. 'Schrappen?'

'Er zit ijs op de ruiten,' legt Rajivs moeder uit.

Nikkie legt haar hand even tegen een ruit. Ja, brrrr. IJs!

'Gaan jullie maar vast in de auto zitten.' Rajivs moeder steekt haar sleutel in het slot.

Plop. De slotknopjes schieten omhoog. Rajiv en Nikkie klimmen op de achterbank. Het is donker in de auto. Ze kunnen niet door de raampjes kijken.

'Ik zie niks,' zegt Rajiv. Hij lacht.

Rajivs moeder komt heel even in de auto zitten. Ze start de motor en zet de verwarming aan. Die blaast loeiend hard.

'Dat is koude wind!' roept Rajiv.

Zijn moeder staat alweer buiten. 'De motor moet eerst opwarmen,' roept ze terug.

Er begint een ander geluid. 'Schrap, schrap, schrap.' Een stukje ijs wordt weggeschrapt van het zijraam. Rajiv leunt naar voren. Hij ziet zijn moeder. Ze schrapt ijverig met een plastic schrapper, die vastzit in een grote handschoen.

Eén raam is klaar, nu de zijruit naast Rajiv. Schrap, schrap, schrap. Rajiv gluurt door het schone plekje en zwaait. Daar komt ineens zijn moeders gezicht voor het gaatje in het ijs. Ze vormt een kusje met haar lippen en stuurt het door het gaatje naar Rajiv.

'Nu bij mij!' roept Nikkie.

Rajivs moeder loopt naar de andere kant van de auto. Ze schrapt het ijs van de ruit bij Nikkie af en stuurt Nikkie ook een kusje. Dan nog een raam. En dan komt ze de auto weer in.

Een stukje van de voorruit is al schoon door de verwarming. En: zoef! zoef! De ruitenwissers vegen de rest van het ijs weg. Op het achterraam zijn al hele strepen weggesmolten.

'Hoe komt dat?' vraagt Rajiv. Hij zit omgedraaid op de achterbank.

'Het achterraam wordt ook verwarmd,' legt zijn moeder uit. 'En nu gauw naar school, zeg. Anders komen jullie nog te laat.'

Zwiep!

Op het schoolplein ligt vaak een grote plas. De juf is daar niet blij mee. Ze moet de
hele tijd kinderen waarschuwen als er buiten wordt gespeeld. 'Niet in die plas! Niet
in het water stampen! Niet door de plas heen hollen!' Maar vandaag hoeft dat niet.
Want er ligt ijs op de plas. Nikkie glijdt eroverheen. Het ijs kraakt.

Rajiv loopt achter haar aan. En ineens ... ZWIEP! PATS! BONK! Daar ligt Rajiv
languit op de grond. Eerst kijkt hij verschrikt. Zijn gezicht wordt rood. En dan
begint hij te brullen.
Nikkie is ook geschrokken. 'Doet het pijn?' vraagt ze met een klein stemmetje.

De juf komt eraan gehold. 'Rajiv toch!' zegt ze. Ze knielt naast Rajiv en trekt hem een beetje overeind tegen zich aan.

'Zijn hoofd kwam tegen de grond,' zegt Nikkie.

Rajiv huilt niet meer zo hard. 'Ik viel zomaar!' hikt hij tussen zijn snikken door.

'Je gleed uit,' zegt de juf. 'IJs is glad. Doet je hoofd pijn?'

Rajiv voelt met zijn wanten aan zijn muts. Maar zo kan hij niets voelen. Hij trekt zijn wanten uit. En dan trekt hij zijn muts af. Dan pas kan hij iets voelen. 'Ik voel geen bult,' zegt hij.

De juf voelt ook. 'Ik ook niet. Gelukkig maar.'

'Goed dat Rajiv zijn dikke muts op had, hè?' zegt Nikkie.

De juf helpt Rajiv helemaal overeind. Ze laat hem zijn neus snuiten in een papieren zakdoekje. Ze veegt zijn tranen van zijn wangen.

'Gaat het weer?' vraagt ze.

Rajiv knikt. Nikkie zet zijn muts weer op zijn hoofd. En zelf trekt hij zijn wanten weer aan.

'Voorzichtig spelen, hoor, op dat gladde ijs,' waarschuwt de juf nog.

'Ik ga niet meer uitglijden op die plas,' zegt Rajiv tegen Nikkie.

'Je moet er niet op lopen. Je moet erover glijden,' legt Nikkie uit. Ze glijdt over de plas. 'Zo.'

Maar Rajiv wil niet meer. Hij bukt zich en raapt een takje op. Dat geeft hij een duwtje over het ijs. Het takje glijdt naar Nikkie. Nikkie laat het takje terugglijden.

'Zo val ik niet meer,' zegt Rajiv.

'Nee,' zegt Nikkie. 'En takjes kunnen niet uitglijden.'

SCHAATSEN MET TWEE IJZERS

'Hoera! Het gaat vriezen!' roept papa. Hij rent naar de zolder en komt terug met een grote doos. Mama, Nikkie en Rajiv komen kijken wat erin zit. Papa maakt de doos open. 'Mijn schaatsen,' zegt hij. Zijn schaatsen zijn zwarte, hoge schoenen, met zwart-geel gestreepte veters en een scherp ijzer aan de onderkant.

'Is dat net zo scherp als een zwaard?' vraagt Rajiv.

'Dat zouden ze wel moeten zijn,' zegt papa.

'Heb ik ook schaatsen?' vraagt Nikkie.

'Jij hebt kinderschaatsjes,' zegt mama.

'Waar zijn die?' vraagt Nikkie.

'Nou, eh ...' Mama moet erover nadenken. 'Ook op zolder, denk ik.'

'Heb ik daar weleens op geschaatst?' vraagt Nikkie.

'Nee, ze zijn nog helemaal nieuw. Vorig jaar heeft het bijna niet gevroren.'

'Maar er was wel sneeuw!' zegt Rajiv. 'Toen heb ik een sneeuwpop gemaakt met papa.'

'Ja, en ik ook. Met mama.' Nikkie knikt.

'Die van ons was veel groter,' zegt Rajiv. 'En hij had een hoed op.'

'Maar die van ons had een muts op,' zegt Nikkie.

Mama is naar de zolder gegaan. Ze komt terug met een kleine doos. Daar zitten Nikkies schaatsen in. Nikkie en Rajiv bekijken ze goed.

'Er zitten geen schoenen aan. En er zitten twéé van die messen onder,' merkt Nikkie fronsend op.

Papa lacht. 'Dat zijn ijzers,' zegt hij. 'Bij jou zitten er twee ijzers onder omdat je nog moet leren schaatsen. Dan sta je steviger. En je mag je eigen schoenen aan. Je schaatsen maken we eronder vast met die riempjes.

'Zijn mijn ijzers ook zo scherp als een zwaard?' vraagt Nikkie.

'Dat valt wel mee.' Mama doet de schaatsen weer terug in de doos.

'Mag ik ze nu even aan?'

'Nee.' Mama schudt haar hoofd. 'Schaatsen zijn voor buiten.'

'Mag ik mee als jij gaat schaatsen?' vraagt Nikkie aan papa. Papa knikt. 'En Rajiv ook,' zegt hij. 'Heb jij ook schaatsen, Rajiv?'

'Nee, hoor,' zegt Rajiv. 'Ik wil niet schaatsen. Dan glijd ik uit en dan val ik op mijn hoofd.'

'Je moet een stoel meenemen om je aan vast te houden,' zegt papa.

Nikkie en Rajiv lachen. Ze geloven papa niet.

'Echt waar!' zegt papa ernstig.

'Dan wil ik het wel proberen,' giechelt Rajiv.

HÓÓEEE!

Na drie nachtjes slapen is het ijs op de sloot dik genoeg. Papa en Rajivs vader staan al klaar om te gaan schaatsen. Ze hebben allebei een keukenstoel bij zich. Ze wachten op Rajiv en op Nikkie. Mama doet Nikkies sjaal goed om. En ze trekt haar muts helemaal over haar oren. En ze helpt Nikkie met haar wanten. En aan de overkant doet Rajivs moeder Rajiv zijn sjaal om. En zijn muts op. En ze helpt hem met zijn wanten. Eindelijk zijn ze klaar.

De vaders dragen de stoelen. Nikkie en Rajiv dragen hun schaatsen. Rajiv heeft precies dezelfde schaatsen gekregen als Nikkie. Schaatsen om het op te leren, met twee ijzers eronder.

'Dag! Ik kom straks even kijken of het al een beetje lukt!' roept mama Nikkie en Rajiv achterna.

'Dag! Ik ga alvast een grote pan warme soep maken voor als jullie terugkomen!' roept Rajivs moeder.

Nikkie en Rajiv kijken elkaar aan. 'Het is koud,' zegt Rajiv. Zijn gezicht staat strak. Hij kan niet lachen als het zo koud is.

'Ja.' Nikkie rilt.

'Jullie worden vanzelf warm als jullie eenmaal aan het schaatsen zijn,' zegt papa. Aan het eind van de straat is een sloot. Papa maakt Nikkies schaatsen vast onder haar schoenen. En Rajivs vader doet hetzelfde bij Rajiv. Er zijn al een paar kinderen op het ijs. Sommige kunnen al goed schaatsen. Die hebben schaatsen met schoenen eraan vast en één ijzer eronder, net als papa. Nikkie en Rajiv kijken naar de kinderen en dan naar hun vaders.

'Kom op, gewoon proberen,' zegt papa. Hij tilt Nikkie op het ijs.

'Hóóeee!' Nikkie glijdt onderuit. Ze zwaait met haar armen. Gelukkig houdt papa haar vast. Hij zet de stoel voor haar neus. Nikkie grijpt de stoel vast. Zo. Zo is het beter. Rajiv staat al naast haar, ook met zijn stoel. Voorzichtig schuiven ze over het ijs achter hun stoelen. Uit de donkergrijze lucht vallen kleine, scherpe korreltjes ijs die tegen hun wangen zwiepen. De wind blaast en hun neuzen worden steenkoud.

'Ik ben nog niet gevallen,' zegt Rajiv. Hij kijkt om. Zijn vader staat met papa te praten.

'Ik ook niet,' zegt Nikkie.

Ze schuiven verder.

'Jullie moeten je benen een beetje uitslaan!' schreeuwt papa uit de verte. Nikkie en Rajiv kijken naar de kinderen die het al kunnen. Ze proberen het. Oeps! Daar gleed Rajiv bijna uit. Hij klemt zijn handen om de stoel.

'Wij kunnen het al een beetje, hè?' zegt Nikkie.

Ze kijken weer om. Nu staan hun moeders er ook. Nikkie laat de stoel los en zwaait. Rajiv durft zijn stoel niet los te laten.

'Ja, we kunnen het al heel goed,' zegt hij met een klein stemmetje.

ZONDER STOEL

Nikkie en Rajiv hebben geschaatst. Ze zijn er moe van. Nikkie heeft knalrode oren en Rajiv heeft tranen in zijn ogen van de kou. Rajivs moeder doet de deur open.
'Ik kon al een stukje zonder stoel schaatsen,' vertelt Nikkie.
'Ik ga morgen een stukje zonder stoel,' zegt Rajiv.
'Nou, kom maar gauw binnen, ik heb lekkere warme kippensoep gemaakt,' zegt Rajivs moeder. Papa is mama gaan halen. Mama lust ook wel kippensoep, ook al heeft ze niet geschaatst.
Rajivs vader wrijft Rajivs koude handen tussen zijn grote warme handen. Nikkies vader wrijft Nikkies koude tenen tussen zijn grote warme handen. De soep is klaar. Nikkie eet een heel bord soep leeg, en Rajiv zelfs nog een beetje meer.
'Nou kom, dan gaan we weer schaatsen,' zegt papa als de soep op is.
'Morgen weer,' zegt Rajiv. Hij gaat gauw bij zijn moeder staan.
'Morgen? Je moet vaak oefenen, zo leer je het,' zegt papa.
'Maar het is zo koud buiten,' moppert Nikkie.
'In Suriname hoef je niet te schaatsen,' zegt Rajiv. Hij gaat nog dichter bij zijn moeder staan.

'Ha ha, in Suriname is nooit ijs,' zegt Rajivs vader.

Nikkie kijkt naar Rajivs vader en moeder. Ze komen uit het warme land Suriname, waar je zelfs geen sokken aan hoeft.

'Ik kan niet schaatsen en ik wil het niet leren ook,' zegt Rajivs moeder en ze trekt Rajiv tegen zich aan en knuffelt hem.

'Ik kan het wel een beetje, ik heb het geleerd toen ik hier in Nederland kwam wonen,' vertelt Rajivs vader.

'Ging jij toen ook oefenen met een stoel?' vraagt Nikkie.

'Ja.' Rajivs vader knikt. 'Ik oefende en oefende. En toen kon ik het zonder stoel en na een paar dagen kon ik het nog beter.'

'Ik weet wat - jullie gaan schaatsen en de kinderen en ik gaan kijken,' zegt Rajivs moeder.

Ze trekken allemaal hun warme kleren weer aan. Rajiv en Nikkie blijven langs de sloot bij Rajivs moeder staan. De wolken zijn weggewaaid. De zon schijnt. Papa en mama en Rajivs vader schaatsen. Ze schaatsen snel en maken bochten. Ze glijden langs elkaar heen. Ze lachen en roepen. Ze geven elkaar een hand en schaatsen samen.

'Morgen ga ik wel weer oefenen,' zegt Nikkie als ze dat ziet.

'Ik ook,' zegt Rajiv. 'Ik wil net zo mooi schaatsen als papa.'

Een ijspegel

Aan het eind van de straat staat een bushokje. Het bushokje is van glas. En aan het dak van het bushokje hangt iets. Het glinstert in de zon.

Nikkie trekt aan mama's hand. 'Kijk eens! Wat is dat?'

'Wat?' vraagt mama. Ze ziet het niet. Ze kijkt de verkeerde kant op.

'Dáár!' Nikkie wijst. 'Waar je op de bus moet wachten.'

Nu kijkt mama de goede kant op. 'O, wat leuk. Dat zijn ijspegels!' Mama kijkt of er geen auto aan komt en steekt dan met Nikkie de straat over. 'Wat een grote!' zegt ze opgewonden.

'Je kunt ermee prikken,' zegt Nikkie. Ze staat nu in het bushokje en kijkt omhoog. Aan de rand van het dak van het hokje hangen lange druippegels van ijs, die glinsteren in de zon.

'Wil je er een hebben?' vraagt mama.

'Kan dat?' Nikkie kijkt haar verbaasd aan.

Mama trekt haar mouw over haar hand en springt op. Ze geeft een flinke klap tegen de grootste ijspegel. Het ijs kraakt, de pegel breekt af. Mama probeert hem te vangen maar hij glipt door haar hand en valt op de grond. Stukken ijs vliegen alle kanten uit, rinkelend als glas.

Nikkie stapt geschrokken achteruit. 'Kapot,' zegt ze beteuterd. 'Jammer!' zegt mama spijtig. 'Het was net zo'n mooie grote. Ik probeer er nog een.' Ze springt nu voorzichtiger en houdt haar vrije hand onder de ijspegel waartegen ze slaat.

Kraaak! Het is gelukt. Mama heeft er een. Ze lacht en geeft hem aan Nikkie. Nikkie houdt hem voorzichtig vast. De ijspegel lijkt wel van glas en hij kan ook breken als glas, dat heeft ze net gezien.

'Wat moet ik ermee doen?' vraagt Nikkie.

Mama begint te lopen. 'We zetten hem thuis in een lege jampot,' zegt ze. Dan kun je hem zien smelten.'

Eerst gaat Nikkie Rajiv halen. Hij holt meteen mee naar de overkant om de ijspegel te zien. Mama heeft hem al in een jampot op tafel gezet. Hij is nat en hij glimt.

'Mag ik hem even vasthouden?' vraagt Rajiv.

'Ja, maar wel voorzichtig.' Nikkie pakt de ijspegel. Hij is glibberig en koud in haar handen en zo glad dat hij bijna op de grond glijdt als ze hem aan Rajiv geeft. Rajiv zet hem snel terug. Onder in de jampot ligt al een plasje water.

De ijspegel smelt. Hij wordt steeds dunner en dan breekt hij. Twee kleine stukjes ijs blijven over en op het laatst alleen nog maar water.

Nikkie vindt het jammer. Verdrietig loopt ze naar mama. 'Hij is helemaal weg.'

'Morgen gaan we kijken of er weer een ijspegel aan het bushokje hangt, goed? En dan zetten we hem buiten in de kou, dan smelt hij niet,' stelt mama voor.

'Dat is een goed idee, Nikkie,' zegt Rajiv. 'Dan smelt hij pas als het weer zomer wordt.'

SNEEUW VAN PAPIER

Er ligt nog steeds ijs op de sloten en het vriest nog iedere nacht. Nikkie en Rajiv kunnen al een beetje schaatsen zonder stoel. Schaatsen is wel leuk, maar ze zouden liever een sneeuwpop maken. Alleen heeft het nog niet gesneeuwd.

Op school vertelt de juf een verhaal over twee kinderen in de sneeuw die de weg kwijt waren. Gelukkig hadden die kinderen voetsporen in de sneeuw gemaakt en toen werden ze gevonden en alles kwam weer goed. Het is een mooi verhaal. Rajiv en Nikkie en alle kinderen moeten ervan zuchten als het is afgelopen.

'Ik wilde eigenlijk wachten tot het ging sneeuwen met het vertellen van dit verhaal,' zegt de juf. 'Maar nu heb ik vanochtend iets gehoord op de radio, aan het einde van het nieuws ...'

'Het weerbericht!' roept Rajiv.

'Juist ja, het weerbericht,' zegt de juf. 'En die mevrouw van het weerbericht vertelde dat het morgen gaat sneeuwen!'

Alle kinderen beginnen door elkaar te praten en te roepen. De juf moet even wachten met vertellen. 'En morgen,' gaat ze verder, 'is het zaterdag. Zijn wij dan op school?'

'Néééé!' roepen de kinderen.

'Daarom heb ik vandaag dat verhaal al verteld,' zegt de juf lachend. 'En nu weet ik ook een heel leuk sneeuwwerkje. Jullie mogen papieren sneeuwvlokken op de ramen plakken, en papieren sneeuwpoppen.'

Nikkie en Rajiv kijken elkaar aan. Ze steken tegelijk hun vinger op en zwaaien met hun arm. 'Ikke, juf, ikke!'

Sommige kinderen willen liever met iets anders spelen. Dat mag. Er is plaats genoeg bij de ramen. Nikkie en Rajiv krijgen een schort voor. En ze krijgen allebei een potje lijm en dun wit papier.

'Eerst scheuren,' legt de juf uit.

Nikkie en Rajiv scheuren tot de hele vensterbank vol ligt met grote papiervlokken. Dan smeert Rajiv klodders lijm op het raam, en Nikkie duwt de sneeuwvlokken vast in de lijm. In het midden maken ze een sneeuwpop. Een dikke ronde buik, en een dik rond hoofd.

De juf komt nog andere kleuren papier brengen. Oranje, voor een wortelneus.

En zwart, voor een hoed en ogen, en knopen op zijn buik.

Als het tijd is om melk te drinken, zijn Nikkie en Rajiv nog bezig. En als alle kinderen buiten gaan spelen nog steeds. Maar dan plakt Nikkie de laatste knoop op de
buik van de sneeuwpop en ... klaar.

Ze wassen hun handen, trekken hun jas aan, zetten hun muts op, doen hun sjaal
om en rennen naar buiten om naar het raam te kijken.

De sneeuwpop ziet er aan de buitenkant prachtig uit en de sneeuwvlokken ook.
Het licht schijnt erdoorheen naar buiten. De juf komt kijken. 'Prachtig!' zegt ze.
'Wat hebben jullie hard gewerkt.'

Nikkie kijkt Rajiv verrukt aan. 'Binnen sneeuwt het al!'

Rajiv kijkt omhoog naar de grijze lucht. 'Nu buiten nog,' zegt hij.

Sneeuwvlokken vangen

De juf en de mevrouw van het weerbericht hadden gelijk. De volgende dag gaat het sneeuwen. Nikkie speelt bij Rajiv. Ze spelen met lego. Het licht boven de tafel is aan, zo donker is het al buiten, ook al is het nog middag. En ineens ... Rajiv kijkt op. 'Het sneeuwt!'
Ze hollen naar de vensterbank. Rajivs moeder zet een grote plant opzij zodat ze goed naar buiten kunnen kijken. Eerst blijft de sneeuw niet liggen. Het zijn dunne vlokjes, die smelten als ze de straat raken. Maar dan worden de vlokken dikker en dikker. De auto's worden het eerst wit. En de takken van de bomen. En dan pas de stoep en de straat. 'Mogen we naar buiten?' vraagt Rajiv.
Zijn moeder knikt. Ze helpt Rajiv en Nikkie met aankleden. Buiten is het heel anders dan anders. De geluiden klinken alsof ze onder een deken vandaan komen. En het lijkt nu veel lichter, ook al is de lucht heel donker. Het licht in de lantaarnpalen knippert aan en de sneeuwvlokken dansen en waaien in dat licht naar beneden.

'Ik kreeg een sneeuwvlok op mijn neus!' Nikkie springt lachend over de stoep en probeert sneeuwvlokken te vangen.

Rajiv probeert het ook. 'Ik kreeg er een op mijn oog!' Hij laat zich zomaar op zijn billen in de sneeuw vallen. Maar de stoep onder de sneeuw is hard. Rajiv trekt een gezicht. Hij dacht dat hij lekker zacht zou vallen op de sneeuw.

'Au,' jammert hij beteuterd.

'Als er heel véél sneeuw ligt, dan is het zacht.' Nikkie trekt hem overeind.

'Ja, dan kun je uit het raam naar beneden springen en dan zak je helemaal weg in de sneeuw!' Rajiv kijkt omhoog naar het raam van zijn kamertje. En nog hoger, naar de donkere lucht. Naar al die vlokken, die dwarrelen, waaien en vallen.

Rajivs moeder komt naar buiten. Ze heeft dikke laarzen aan en een rode muts op. Ze vangt sneeuwvlokken in haar blote handen en staart naar boven, net als Rajiv.

'Mooi hè, mama?' zegt Rajiv.

'Prachtig.' Rajivs moeder zucht.

'In Suriname sneeuwt het nooit, hè?' Nikkie gaat naast haar staan en geeft haar een hand. Nu kijken ze alle drie omhoog.

'Nee, nooit.'

'Dan ben je zeker wel blij dat je nu hier woont,' zegt Nikkie.

'Tuurlijk!' schreeuwt Rajiv. En hij vangt een sneeuwvlok in zijn wijdopen mond.

EET SMAKELIJK

Nu er sneeuw en ijs ligt, kunnen de vogels maar moeilijk eten vinden. Mama heeft al een paar keer oud brood op de stoep onder de boom gestrooid. Maar de eerste keer kwam er een hond die het opat. De tweede keer een kat. En de derde keer parkeerde er een auto vlak onder de boom en die reed het brood plat.

'Ik weet iets beters,' zegt mama. 'We rijgen een ketting van pinda's. Die hangen we in de boom. Dan kunnen er geen honden bij en geen auto's.'

'Wel poezen,' zegt Rajiv.

'We hangen die pindaketting aan een heel dun takje,' zegt mama.

'Zo dun dat er geen kat over kan lopen.'

Nikkie gaat alvast aan tafel zitten. Mama en Rajiv komen ook zitten. Mama heeft touw en dikke naalden klaargelegd. Rajiv prikt in een pindadop. Nikkie ook. Nou nou, dat valt niet mee.

'Het gaat niet,' zegt Rajiv. Nikkie en hij kijken nu naar mama. Die wordt een beetje rood, de naald schiet door de dop ... En de dop breekt. De pinda rolt eruit.

'Nou zeg.' Mama kijkt naar Nikkie en Rajiv. 'Ik probeer er nog een,' zegt ze.

'Misschien was dit gewoon een heel harde pindadop.'

Ze zoekt een nieuwe pinda uit de zak en probeert het weer met de naald. Het lukt. Zo. Er zit nu één pinda aan het touwtje. Nikkie en Rajiv proberen het ook weer. Het moet toch lukken. Ze werken echt hard. Ze knijpen een paar pinda's fijn. Hun vingers doen zeer van het duwen met de naald. Nikkie rijgt drie pinda's. Rajiv rijgt er twee. Telkens kijken ze naar mama. Die heeft nu twaalf pinda's geregen.

'Nou,' zegt mama. 'Dat rijgen valt niet mee ...' Ze wrijft haar vingers met een pijnlijk gezicht. En ineens staat ze op.

'Wat ga je doen?' vraagt Nikkie.

'Iets slims.' Mama pakt het netje mandarijnen dat op het aanrecht ligt en knipt het open. De mandarijnen doet ze in de fruitschaal. Het netje neemt ze mee naar de tafel.

'Doe de pinda's hier maar in,' zegt ze. Rajiv en Nikkie stoppen het netje vol pinda's. Mama legt een knoop op de plaats van het opengeknipte gat, en klaar.

Ze gaan naar buiten, zonder jas, omdat het maar voor heel even is. Mama tilt Nikkie op en Nikkie hangt het pindanetje aan een tak.

'Eet smakelijk!' schreeuwt Rajiv. En dan hollen ze weer naar binnen.

De vogels vinden een netje net zo fijn als een slinger. Ze hangen eraan en pikken in de pinda's. Nikkie en Rajiv zitten op de vensterbank en eten een mandarijntje. Ze kijken naar de vogels die zelfs kunnen eten als ze op hun kop hangen.
'Dat kan ik ook,' zegt Rajiv. Hij gaat staan en bukt zich, zodat Nikkie zijn hoofd tussen zijn benen door kan zien, en eet een partje mandarijn.

WINTERGYM

Het is tijd om te gaan buitenspelen. Maar een paar kinderen willen niet. 'Het is zo koud,' huilt er een.

Bas zegt: 'Ik ben verkouden!'

Roy zegt: 'Ik kan niet in het klimrek spelen met mijn wanten aan.'

'En de zandbak mag niet eens open,' klagen er een paar.

Nikkie en Rajiv hebben ook niet zo'n zin om buiten te spelen. Ze kijken de juf afwachtend aan.

'Tja,' zegt de juf. 'Jullie hebben wel gelijk. Het is zelfs te koud om stil op de stuurkar te zitten. Tja ...'

Dan staat ze plotseling op. Ze klapt in haar handen. 'Alles aantrekken en wachten bij de voordeur! We zullen de school weleens laten zien dat deze groep een en twee heel dapper is. Dat wij niet bang zijn voor een beetje kou. Nou, opschieten, hup hup! Jassen aan. Mutsen op. Sjaals om en wanten aan!'

Even later staan ze allemaal buiten. Het vriest, en het waait hard en gemeen. Rillend kijken ze op naar de juf.

'Wij gaan wintergymmen. Let op!' zegt de juf. 'Doe mij maar na!'

Ze jogt het kleine schoolplein rond en roept: 'HUP, TWEE, DRIE! HUP, TWEE, DRIE!' De klas jogt erachteraan. Ze weten nog niet of ze het wel leuk vinden, maar ze willen het wel proberen.

De juf begint op en neer te springen en zwaait met haar armen. 'OP EN NEER! OP
EN NEER!' roept ze. 'Roep maar mee, jongens!'

'Op en neer! Op en neer!' schreeuwen de kinderen. En ze zwaaien met hun armen.
Een paar moeten er al lachen, vooral als een oude man met een
boodschappentas verbaasd bij het hek blijft staan kijken.

De juf strekt en bukt. 'RECHT EN KROM! RECHT EN KROM!' Haar hoofd is
rood. 'Recht en krom!' schreeuwt de klas.

'OM EN OM!' En ze draaien in het rond. En weer. En nog eens.

Nu jogt de juf verder, het grote schoolplein op. HUP, TWEE, DRIE – langs groep
acht. 'Hup, twee, drie! Wij hebben het niet koud! Wij doen wintergym, want eh ...'
zingt de juf.

'Wij zijn nog niet oud!' brult Rajiv.

'HUP, TWEE, DRIE! WIJ HEBBEN HET NIET KOUD! WIJ DOEN WINTER-
GYM, WANT WIJ ZIJN NOG NIET OUD!' schreeuwt de klas mooi tegelijk. Ze
joggen verder langs groep zeven, langs groep zes, langs groep vijf en vier en drie ...
Hè hè! Ze zijn terug bij de deur van de school. Hijgend staan ze stil. Dikke rook-
wolken warme adem dampen uit hun mond.

'Poe, ik heb het heet!' hijgt Nikkie tegen Rajiv.

'Ik ook,' hijgt Rajiv terug. 'Alleen ...'

Hij trekt zijn want uit en voelt aan zijn neus. 'Ja, alleen mijn neus is nog koud,'
zegt hij knikkend.

Avontuur voor peuter en kleuter

NUR 273
© 2003 Tekst: Selma Noort
© 2003 Tekeningen: Harmen van Straaten
Vormgeving: De Witlofcompagnie, Antwerpen
© 2005 Uitgeverij Zwijsen B.V., Tilburg

Eerste druk 2003 (verschenen in kinderboekenabonnement Leesleeuw)

Niets uit deze uitgave mag worden verveelvoudigd zonder
voorafgaande schriftelijke toestemming van de uitgever.

ISBN 90.276.6247.9

Voor België: Zwijsen-Infoboek, Meerhout
D/2005/1919/427

Behoudens de in of krachtens de Auteurswet van 1912 gestelde uitzonderingen mag niets uit deze
uitgave worden verveelvoudigd, opgeslagen in een geautomatiseerd gegevensbestand, of openbaar
gemaakt, in enige vorm of op enige wijze, hetzij elektronisch, mechanisch, door fotokopieën, opnamen
of enige andere manier, zonder voorafgaande schriftelijke toestemming van de uitgever. Voorzover het
maken van reprografische verveelvoudigingen uit deze uitgave is toegestaan op grond van artikel 16 h
Auteurswet 1912 dient men de daarvoor wettelijk verschuldigde vergoedingen te voldoen aan de
Stichting Reprorecht (Postbus 3060, 2130 KB Hoofddorp, www.reprorecht.nl).
Voor het overnemen van gedeelte(n) uit deze uitgave in bloemlezingen, readers en andere compilatie-
werken (artikel 16 Auteurswet 1912) kan men zich wenden tot de Stichting PRO (Stichting Publicatie-
en Reproductierechten Organisatie, Postbus 3060, 2130 KB Hoofddorp, www.cedar.nl/pro).